RÉGIME KETO CHINOIS POUR LES DÉBUTANTS

50+ RECETTES FACILES ET SAVOUREUSES

POUR UN RÉGIME SAIN À FAIBLE TENEUR EN GLUCIDES

Claudie Duran

TABLE DES MATIÈRES

DESSERTS ET SNACKS CHINOIS KETO 89

NOUILLES CHINOISES ET RIZ KONJAC 116

SALADE KETO CHINOISE 137

CONCLUSION 159

INTRODUCTION

La cuisine chinoise est une partie importante de la culture chinoise, qui comprend des cuisines provenant des diverses régions de Chine ainsi que des Chinois d'outre-mer qui se sont installés dans d'autres parties du monde. En raison de la diaspora chinoise et du pouvoir historique du pays, la cuisine chinoise a influencé de nombreuses autres cuisines en Asie, avec des modifications apportées pour répondre aux palais locaux. Les aliments de base chinois tels que le riz, la sauce soja, les nouilles, le thé, l'huile de piment et le tofu, ainsi que des ustensiles tels que les baguettes et le wok, sont désormais disponibles dans le monde entier.

Naviguer dans une cuisine chinoise peut être un défi si vous essayez de vous en tenir au régime céto faible en glucides et riche en graisses. Bien que chargé de légumes; de nombreux plats chinois sont souvent préparés avec des nouilles et du riz, des sauces féculentes et sucrées ou des viandes panées et frites qui peuvent contenir des glucides.

Le régime cétogène est un régime très faible en glucides et riche en graisses qui partage de nombreuses similitudes avec les régimes Atkins et faibles en glucides. Il s'agit de réduire considérablement l'apport en glucides et de le remplacer par de la graisse. Cette réduction des glucides met votre corps dans un état métabolique appelé cétose. Lorsque cela se produit, votre corps devient incroyablement efficace pour brûler les graisses en énergie. Il transforme également les graisses en cétones dans le foie, ce qui peut fournir de l'énergie au cerveau.

Ces aliments sont difficiles à inclure dans un régime céto, qui limite généralement votre consommation de glucides à pas plus de 50 grammes de glucides totaux ou 25 grammes de glucides nets - soit le total des glucides moins les fibres - par jour.

RECETTES AUX OEUFS CHINOIS

1. Soupe aux oeufs battus

- 1/2 litre de bouillon de poulet ou de bouillon de soupe clair
- 2 cuillères à soupe. fécule de maïs, mélangée dans 1/4 tasse d'eau froide
- 2 œufs légèrement battus à la fourchette
- oignons verts, hachés, y compris les extrémités vertes

Apportez le bouillon de soupe dans un bol. Versez lentement le mélange de fécule de maïs tout en remuant le bouillon, jusqu'à ce que le bouillon épaississe. Baisser la température

alors le stock mijote juste. Versez lentement les œufs en remuant la soupe. Dès que le dernier morceau d'œuf est entré, éteignez immédiatement le feu. Servir avec des oignons verts hachés sur le dessus.

2. Rouleaux d'oeufs Keto

- 1 lb de chou chinois (Napa) 2 branches de céleri
- 1/2 lb de crevettes cuites
- 1/2 lb de foies de porc ou de poulet cuits
- 10 châtaignes d'eau
- 1/3 tasse de pousses de bambou
- 1 cuillère à café sel
- Piment libéral
- 1/2 cuillère à café Sauce soja légère
- 1/4 c. À thé huile de sésame
- 1 œuf battu
- 10 peaux de rouleaux d'oeufs 3 tasses d'huile

PRÉPARATION: Faire bouillir le chou et le céleri jusqu'à ce qu'ils soient très tendres. Égouttez et essorez l'excès d'eau. Déchiqueter très finement et réserver

égoutter davantage. Faire bouillir les crevettes et faire frire ou cuire le porc. Émincer les deux. Déchiqueter les châtaignes d'eau et les pousses de bambou. Mélangez tous les ingrédients sauf l'œuf. Battre l'œuf. Envelopper la garniture dans la peau des rouleaux d'oeuf et sceller avec l'œuf.

CUISSON: Faites chauffer l'huile dans un wok ou une friteuse à 375 degrés et déposez-y des rouleaux d'œufs. Lorsque la peau devient brun doré clair, retirez-la de l'huile et égouttez-la. (À ce stade, les restaurants les réfrigèrent et terminent le processus de cuisson au besoin.) Une fois refroidis, remettez-les dans l'huile chaude et faites-les frire jusqu'à ce qu'ils soient dorés.

Donne 10.

3. Keto Foo Yung

- 6 œufs bien battus
- 1 tasse de viande cuite râpée (rôti de porc, crevettes, presque toutes!)
- 2 tasses de germes de soja frais (ou 1 boîte)
- oignons verts, hachés, y compris les extrémités vertes
- 1 oignon moyen, râpé
- 1/8 cuillère à café de poivre moulu
- 1 cuillère à café de MSG (facultatif)
- 2 cuillères à soupe de sauce soja
- 1/2 tasse de bouillon de poulet ou d'eau Légume
- huile de friture

Faites de la sauce si vous le souhaitez (la recette suit). Préchauffer le four à 200F. Tapisser un plateau de plusieurs épaisseurs de papier absorbant. Mélanger tous les ingrédients sauf l'huile végétale dans un bol à mélanger.

Chauffer une poêle chaude et sèche. Mettez de l'huile végétale à une profondeur d'environ 1/2 pouce. Gardez l'huile à ce niveau en ajoutant plus, car une partie est absorbée lors de la cuisson. Amenez la température de l'huile à moyenne. Remuez le mélange d'omelette à chaque fois avant d'en retirer une cuillère, afin d'avoir le bon ratio d'ingrédients liquides et solides dans chacun.

Avec une louche ou une cuillère à soupe, prenez une cuillère du mélange d'œufs et mettez doucement dans la poêle. Lorsque la première omelette a durci, déplacez-la doucement pour faire de la place pour la suivante. Le nombre d'omelettes que vous pouvez préparer à la fois dépend de la taille de votre poêle. Quand un côté de l'omelette est devenu doré, retournez doucement avec le tourne-crêpe pour faire frire l'autre côté. Une fois terminé, transférer de la poêle sur une assiette tapissée de papier. Garder au chaud au four jusqu'à ce que toutes les omelettes puissent être servies ensemble. Servir avec ou sans sauce.

4. Egg Foo Yung aux Crevettes

- ½ tasse de germes de haricot mungo
- 4 pois mange-tout
- ¼ poivron rouge
- 2 à 4 cuillères à soupe d'huile
- 1 chapeau de pleurotes, tranché finement
- 1 à 2 champignons de Paris, tranchés finement
- 6 oeufs
- ¼ cuillère à café de sel
- ⅛ cuillère à café de poivre
- 1 cuillère à soupe de sauce aux huîtres
- 1 oignon vert, coupé en morceaux de 1 pouce
- 6 onces de crevettes cuites, pelées et déveinées

Blanchissez les germes de soja et les pois mange-tout en les plongeant brièvement dans de l'eau bouillante et en les retirant rapidement. Bien égoutter.

Retirez les graines du poivron rouge et coupez-les en fines tranches d'environ 1 pouce de long. Hachez les pois mange-tout. Ajouter ½ cuillère à soupe d'huile dans un wok ou une poêle préchauffé. Lorsque l'huile est chaude, faire revenir brièvement les tranches de pleurotes, jusqu'à ce qu'elles s'effondrent. (Vous pouvez également faire sauter les champignons de Paris ou les laisser crus.) Retirer du wok et réserver.

Battez légèrement les œufs. Incorporer le sel, le poivre et la sauce aux huîtres. Incorporer les légumes et les crevettes cuites.

Ajoutez 2 cuillères à soupe d'huile dans un wok ou une poêle préchauffé. Lorsque l'huile est chaude, ajoutez un quart du mélange d'œufs. Cuire jusqu'à ce que le fond soit cuit, puis retourner et cuire l'autre côté. Continuez avec le reste du mélange d'œufs, ajoutez plus d'huile si nécessaire, faites 4 omelettes. A déguster tel quel ou servir avec une sauce Egg Foo Yung Hoisin

5. Veggie Egg Foo Yung

- ½ poivron rouge
- 1 tasse de germes de haricot mungo
- 6 oeufs
- ¼ cuillère à café de sel
- ⅛ cuillère à café de poivre
- 1 cuillère à café de vin de riz chinois ou de xérès sec
- 4 champignons, tranchés finement
- 1 oignon vert, tranché finement
- 1 cube de caillé de haricots fermentés, écrasé
- 2 à 4 cuillères à soupe d'huile

Retirez les graines du poivron rouge et coupez-les en morceaux. Blanchissez les germes de soja en les plongeant brièvement dans de l'eau bouillante et égouttez-les.

Battez légèrement les œufs. Incorporer le sel, le poivre, le vin de riz Konjac. Ajouter les légumes et la purée de haricots blancs. Bien mélanger.

Ajoutez 2 cuillères à soupe d'huile dans un wok ou une poêle préchauffé. Lorsque l'huile est chaude, ajoutez un quart du mélange d'œufs. Cuire jusqu'à ce que le fond soit cuit, puis retourner l'omelette et cuire l'autre côté. Continuez avec le reste du mélange en faisant 4 omelettes. Servir

6. Oeuf Foo Yung avec Porc

- ¼ poivron rouge
- ⅔ tasse de germes de haricot mungo
- 1 branche de céleri
- 1 tasse de porc cuit, coupé en petits morceaux
- 4 à 6 cuillères à soupe d'huile pour faire sauter
- ½ cuillère à café de sel, divisé
- 6 oeufs
- ⅛ cuillère à café de poivre
- 1 cuillère à café de vin de riz chinois ou de xérès sec
- 4 chapeaux de champignons de Paris, tranchés finement

Retirez les graines du poivron rouge et coupez-les en fines tranches d'environ 1 pouce de long. Blanchissez les germes de soja en les plongeant brièvement dans l'eau bouillante. Blanchissez le céleri en le plongeant dans l'eau bouillante et en le faisant bouillir pendant 2 à 3 minutes. Égouttez soigneusement les légumes blanchis. Coupez le céleri en fines tranches en diagonale.

Ajoutez 2 cuillères à café d'huile dans un wok ou une poêle préchauffé. Lorsque l'huile est chaude, ajoutez le céleri et faites sauter à feu moyen-vif. Ajoutez ¼ cuillère à café de sel. Retirez le céleri cuit du wok.

Battez légèrement les œufs. Incorporer le poivre, ¼ cuillère à café de sel et le vin de riz Konjac. Ajouter le porc et les légumes en mélangeant bien.

Ajoutez 2 cuillères à soupe d'huile dans un wok ou une poêle préchauffé. Lorsque l'huile est chaude, ajoutez un sixième du mélange d'œufs. Cuire jusqu'à ce que le fond soit cuit, puis retourner et cuire l'autre côté. Continuez avec le reste du mélange d'œufs en faisant 6 omelettes. Ajoutez plus d'huile pendant la cuisson si nécessaire. Servir avec une sauce aux œufs foo yung ou une sauce soja.

22

7. Egg Food Yung avec saucisse chinoise

- ¼ poivron rouge
- ½ tasse de germes de soja
- 3 saucisses chinoises, coupées en petits morceaux
- 4 à 6 cuillères à soupe d'huile pour faire sauter
- 1 feuille de chou, déchiquetée
- ½ cuillère à café de sel, divisé
- 6 oeufs
- ⅛ cuillère à café de poivre
- 1 cuillère à café de vin de riz chinois ou de xérès sec
- 4 chapeaux de champignons de Paris, tranchés finement

Retirez les graines du poivron rouge et coupez-les en fines tranches d'environ 1 pouce de long. Blanchissez les germes de soja en les plongeant brièvement dans l'eau bouillante. Égouttez soigneusement.

Ajoutez 2 cuillères à soupe d'huile dans un wok ou une poêle préchauffé. Lorsque l'huile est chaude, ajoutez le chou et faites sauter à feu moyen-vif. Ajoutez ¼ cuillère à café de sel. Retirez du wok.

Battez légèrement les œufs. Incorporer le poivre, ¼ cuillère à café de sel et le vin de riz Konjac. Ajouter la saucisse et les légumes en mélangeant bien.

Ajoutez 2 cuillères à soupe d'huile dans un wok ou une poêle préchauffé. Lorsque l'huile est chaude, ajoutez ⅙ du mélange d'œufs. Cuire jusqu'à ce que le fond soit cuit, puis retourner et cuire l'autre côté. Continuez avec le reste du mélange d'œufs en faisant 6 omelettes. Ajoutez plus d'huile pendant la cuisson si nécessaire. Servir avec une sauce aux œufs foo yung ou une sauce soja.

8. Sauce aux oeufs Foo Yung Hoisin

- 1 cuillère à soupe de sauce aux huîtres
- 2 cuillères à café de sauce hoisin
- 1 cuillère à café de vin de riz chinois ou de xérès sec
- 2 cuillères à soupe d'eau
- 1 cuillère à café de fécule de maïs mélangée à 4 cuillères à café d'eau

Porter à ébullition la sauce aux huîtres, la sauce hoisin, le vin de riz Konjac et l'eau. Ajouter le mélange de fécule de maïs et d'eau et remuer vigoureusement pour épaissir. Servir avec un œuf foo yung.

Donne ½ tasse

Cette sauce robuste se marie bien avec les plats d'omelette contenant de la viande, comme l'œuf Foo Yung au porc

9. Sauce aux oeufs foo yung avec bouillon de boeuf

- ½ tasse de bouillon de boeuf
- ¼ cuillère à café d'huile de sésame
- 1 cuillère à soupe de fécule de maïs mélangée à 4 cuillères à soupe d'eau

a) Porter à ébullition le bouillon de bœuf et l'huile de sésame.

b) Ajouter le mélange de fécule de maïs et d'eau en remuant vigoureusement. Servir avec un œuf foo yung.

10. Œufs cuits au rouge Keto

- 6 œufs
- 1/2 tasse de sauce soja noire
- 1/2 tasse de bouillon de poulet
- 1 cuillère à café d'huile de sésame
- Sauce hoisin
- sauce aux huîtres

a) Dans une casserole, couvrez les œufs d'eau froide; porter à ébullition, puis laisser mijoter 15 minutes. Retirer du feu, refroidir les œufs sous l'eau courante froide et les décortiquer. Dans une casserole, mélanger la sauce soya brune, le bouillon de poulet et l'huile de sésame. Faites chauffer le mélange. Ajoutez les œufs.

b) Laisser mijoter à couvert pendant 1 heure. Le liquide doit recouvrir les œufs, mais si ce n'est pas le cas, arrosez fréquemment. Éteignez le feu et laissez reposer les œufs dans le liquide pendant encore une heure, en les retournant de temps en temps, pour assurer une coloration uniforme.

c) Servir coupé en deux ou en quatre, avec une trempette. Donne 6 à 8 portions d'apéritif.

d) TREMPETTE: Dans un bol, mélanger à parts égales la sauce hoisin et la sauce aux huîtres.

11. Sauce au poulet aux œufs foo yung

- ½ tasse de bouillon ou de bouillon de poulet
- 1 cuillère à soupe de sauce soja
- 1 cuillère à soupe de vin de riz chinois ou de xérès sec
- ¼ cuillère à café d'huile de sésame
- Une pincée de poivre noir fraîchement moulu

a) Mélangez tous les ingrédients et portez à ébullition. Servir avec un œuf foo yung.
b) Pour une sauce plus épaisse, ajoutez 1 cuillère à café de fécule de maïs mélangée à 4 cuillères à café d'eau. Versez la sauce sur l'œuf foo yung ou servez séparément.

12. Œufs enveloppés de chou frisé

Ingrédients:

- Trois cuillères à soupe de crème épaisse
- Quatre œufs durs
- ¼ cuillère à café de poivre
- Quatre feuilles de chou frisé
- Quatre tranches de prosciutto
- ¼ cuillère à café de sel
- 1 ½ tasse d'eau

a)   Épluchez les œufs et enveloppez chacun avec le chou frisé. Enroulez-les dans les tranches de prosciutto et saupoudrez de poivre noir moulu et de sel.

b)   Disposez Instant Pot sur une plate-forme sèche dans votre cuisine. Ouvrez son couvercle supérieur et allumez-le.

c)   Dans le pot, versez de l'eau. Disposez un dessous de plat ou un panier vapeur à l'intérieur fourni avec Instant Pot. Maintenant, placez / disposez les œufs sur le dessous de plat / panier.

d)   Fermez le couvercle pour créer une chambre verrouillée; assurez-vous que la soupape de sécurité est en position de verrouillage.

e)   Recherchez et appuyez sur la fonction de cuisson «MANUAL»; minuterie à 5 minutes avec le mode de pression «HAUTE» par défaut.

f) Laisser la pression monter pour cuire les ingrédients.

g) Une fois le temps de cuisson écoulé, appuyez sur le réglage «ANNULER». Recherchez et appuyez sur la fonction de cuisson «QPR». Ce réglage sert à relâcher rapidement la pression intérieure.

h) Ouvrez lentement le couvercle, sortez la recette cuite dans des assiettes ou des bols de service et profitez de la recette de céto.

13. Bouchées aux œufs sous vide

Ingrédients:

- Sel - 1/2 cuillère à café
- Oeufs - 4
- Tranches de bacon, hachées - 4
- Fromage parmesan, râpé - 3/4 tasse
- Fromage cottage, râpé - 1/2 tasse
- Crème épaisse - 1/4 tasse
- Eau - 1 tasse

Allumez la casserole instantanée, appuyez sur le bouton 'sauté / mijoter', attendez qu'elle soit chaude et ajoutez le bacon.

Faites cuire le bacon haché pendant 5 minutes ou plus jusqu'à ce qu'il soit croustillant, transférez-le dans une assiette tapissée de papier absorbant, laissez reposer 5 minutes puis émiettez-le.

Casser les œufs dans un bol, assaisonner de sel, ajouter les fromages et la crème et mélanger jusqu'à consistance lisse. Répartir uniformément le bacon émietté entre les moules d'un plateau en silicone, graissé à l'huile,

puis versez le mélange d'œufs jusqu'au 3/4 plein et couvrez le plateau de papier d'aluminium sans serrer.

Appuyez sur le bouton `` garder au chaud ", versez de l'eau dans la casserole instantanée, puis insérez le support de dessous de plat et placez le plateau en silicone dessus.

Fermez la casserole instantanée avec son couvercle en position scellée, puis appuyez sur le bouton «vapeur», appuyez sur «+/-» pour régler le temps de cuisson à 8 minutes et faites cuire à haute pression; lorsque la pression monte dans la casserole, la minuterie de cuisson démarre.

Lorsque le pot instantané bourdonne, appuyez sur le bouton `` garder au chaud ", relâchez la pression naturellement pendant 10 minutes, puis relâchez rapidement la pression et ouvrez le couvercle. Sortez la plaque, découvrez-la et retournez la casserole sur une assiette pour retirer les bouchées d'œufs.

14. Oeufs brouillés

Ingrédients:

- Sel - 1/4 cuillère à café
- Poivre noir moulu - 1/4 cuillère à café
- Beurre non salé - ½ cuillère à soupe
- Lait d'amande, non sucré, gras - 1 cuillère à soupe
- Oeufs - 2
- Eau - 1 tasse

Prenez un bol résistant à la chaleur qui tient dans la casserole instantanée, graissez-le avec de l'huile d'avocat et faites-y casser les œufs.

Assaisonner les œufs avec du sel et du poivre noir, verser le lait, fouetter jusqu'à homogénéité, puis ajouter le beurre.

Allumez le pot instantané, versez de l'eau, insérez le support de dessous de plat et placez le bol dessus.

Fermez la casserole instantanée avec son couvercle en position scellée, puis appuyez sur le bouton «manuel», appuyez sur «+/-» pour régler le temps de cuisson à 7 minutes et faites cuire à basse pression; lorsque la pression monte dans la casserole, la minuterie de cuisson démarre.

Lorsque le pot instantané bourdonne, appuyez sur le bouton «garder au chaud», relâchez rapidement la pression et ouvrez le couvercle.

Sortez le bol, remuez les œufs avec une fourchette pour vérifier s'ils sont bien cuits; cuire encore une minute si les œufs ne sont pas assez cuits.

15. Muffins aux œufs tacos

Ingrédients:

- Bœuf haché, nourri à l'herbe - ½ livre
- Assaisonnement pour tacos - 1 ½ cuillère à soupe
- Beurre salé, fondu - 1 cuillère à soupe
- Œufs biologiques - 3
- Mélange de fromages mexicains, râpés et gras - 3 onces
- Salsa aux tomates, biologique - ½ tasse

Les directions:

Réglez le four à 350 degrés F et préchauffez.

Entre-temps, placer une poêle à feu moyen, graisser avec de l'huile et quand elle est chaude, ajouter le bœuf haché et cuire 7 minutes ou plus jusqu'à ce qu'il soit presque cuit.

Assaisonner le bœuf avec l'assaisonnement pour tacos et cuire de 3 à 5 minutes ou jusqu'à ce qu'il soit bien cuit, puis retirer la poêle du feu.

Casser les œufs dans un bol, fouetter jusqu'à ce qu'ils soient battus, puis ajouter le bœuf taco cuit avec 2 onces de fromage mexicain et fouetter jusqu'à ce que le tout soit bien mélangé.

Prenez un moule à muffins de 32 tasses ou des moules à muffins en silicone tapissés de papier sulfurisé, graissez chaque tasse de beurre fondu, puis remplissez uniformément du mélange de taco au bœuf et garnissez du reste du fromage. Placer le moule à muffins dans le four et cuire au four pendant 20 minutes ou jusqu'à ce que les muffins soient bien cuits et que le dessus soit bien doré.

Une fois cuits, laissez refroidir les muffins dans le moule pendant 10 minutes, puis sortez-les et laissez refroidir sur une grille.

16. Oeufs farcis

Ingrédients:

- Œufs bio - 12
- Sel - ½ cuillère à café
- Poivre noir moulu - ½ cuillère à café
- Paprika fumé - ½ cuillère à café
- Moutarde de Dijon - 1 cuillère à soupe
- Mayonnaise, pleine de matière grasse - ¾ tasse
- Eau - 1 tasse

a) Allumez la casserole instantanée, versez de l'eau, insérez la grille de la vapeur et placez-y les œufs

b) Fermez le pot instantané avec son couvercle, complètement scellé, appuyez sur le bouton manuel et faites cuire les œufs pendant 5 minutes à haute pression.

c) Une fois terminé, laissez la pression se relâcher naturellement pendant 5 minutes, puis relâchez rapidement la pression et ouvrez le pot instantané.

d) Transférer les œufs dans un grand bol contenant de l'eau glacée pendant 5 minutes, puis les éplucher et couper chaque œuf en deux.

e) Transférer le jaune d'œuf de chaque œuf dans un bol, ajouter la moutarde et la mayonnaise, assaisonner de sel et de poivre noir et remuer jusqu'à homogénéité.

f) Verser la garniture de jaune dans les coquilles de blanc d'œuf et saupoudrer de paprika.

17. Frittata aux épinards et poivrons rouges

Ingrédients:

- Oeufs - 8
- Crème à fouetter épaisse - 1/3 tasse
- Fromage cheddar râpé - 1/2 tasse
- Poivron rouge en dés - 1/4 tasse
- Oignon rouge haché - 1/4 tasse
- Épinards hachés - 1/2 tasse
- Sel de mer - 1 cuillère à café
- Poudre de piment rouge - 1 cuillère à café
- Poivre noir moulu - 1/8 cuillère à café
- Eau - 1 tasse
- Avocat, pelé, dénoyauté, tranché - 1
- Crème sure - 1/2 tasse

Casser les œufs dans un bol, ajouter la crème et fouetter jusqu'à ce qu'ils soient battus et mousseux.

Ajouter le reste des ingrédients, à l'exception de l'eau, de l'avocat et de la crème sure, bien mélanger jusqu'à ce qu'il soit incorporé, puis verser le mélange dans un plat allant au four de 7 pouces graissé avec de l'huile d'avocat.

Allumez la casserole instantanée, versez de l'eau dedans, insérez un support de dessous de plat et placez-y un plat allant au four.

Fermez la casserole instantanée avec son couvercle en position scellée, puis appuyez sur le bouton «manuel», appuyez sur «+/-» pour régler le temps de cuisson à 12 minutes et faites cuire à haute pression; lorsque la pression monte dans la casserole, la minuterie de cuisson démarre.

Lorsque le pot instantané bourdonne, appuyez sur le bouton `` garder au chaud ", relâchez la pression naturellement pendant 10 minutes, puis relâchez rapidement la pression et ouvrez le couvercle.

Sortez le plat de cuisson et sortez la frittata en renversant le plat sur une assiette et coupez-la en tranches.

Servir tout de suite.

LÉGUMES CHNESE

18. Keto Ma Po

- 1/2 tasse de bouillon de légumes
- 1/3 tasse de sauce Hoisin
- 1 cuillère à soupe de vin de riz Konjac / xérès sec
- 1/3 tasse de ketchup
- 1/2 tasse de sauce piquante 1 cuillère à soupe d'huile de sésame
- 1 cuillère à soupe d'huile végétale
- 3 gousses d'ail émincées
- 1 lb de tofu ferme, coupé en cubes de 1/2 po
- 2 tasses de germes de haricot mungo
- 1 cuillère à soupe de fécule de maïs mélangée à 2 - cuillères à soupe d'eau
- 2 oignons verts, émincés

a) Dans un petit bol, mélanger le bouillon, la sauce hoisin, le vin de riz ou le xérès, le ketchup et la sauce piquante. Mettre de côté.
b) Placez un wok à feu vif, lorsqu'il est chaud, ajoutez de l'huile végétale. Ajouter l'ail et remuer pendant 5 secondes. Ajouter le tofu et faire sauter pendant 2 minutes. Incorporer la sauce réservée et cuire 1 minute. Ajouter les germes de soja et cuire encore une minute. Ajouter la fécule de maïs dissoute et remuer jusqu'à ce que la sauce épaississe.
c) Servir sur des nouilles mélangées à de l'huile de sésame ou sur du riz Konjac cuit à la vapeur ou du riz au chou-fleur. Garnir d'oignons

19. Riz konjac collant aux feuilles de chou

- 1 tasse de riz Konjac à grains courts (collant) ou de riz au chou-fleur
- 4 grandes feuilles de chou
- 4 champignons séchés ET 4 saucisses chinoises
- 2 cuillères à soupe de sauce aux huîtres
- 2 cuillères à soupe de vin de riz chinois ou de xérès sec
- 2 cuillères à soupe de bouillon ou de bouillon de poulet
- 2 cuillères à soupe d'huile pour sauté
- 1 gousse d'ail finement hachée
- 2 tranches de gingembre, hachées finement
- 2 oignons verts, hachés finement

Couvrir le riz konjac collant dans de l'eau tiède et laisser tremper au moins 2 heures, de préférence toute la nuit. Bien égoutter. Dans une casserole de taille moyenne, porter à ébullition le riz collant Konjac et 2 tasses d'eau. Laisser mijoter à couvert pendant 20 minutes ou jusqu'à ce que le riz Konjac soit cuit. Retirer de l'élément et laisser refroidir 15 minutes. Faites gonfler le riz Konjac avant de le retirer du pot. Divisez le riz Konjac en 4 portions égales et réservez.

Blanchissez les feuilles de chou dans l'eau bouillante. Égouttez soigneusement. Faites tremper les champignons séchés dans de l'eau chaude pendant au moins 20 minutes pour les ramollir. Égouttez-les en les pressant doucement pour éliminer tout excès d'eau. Couper en fines tranches.

Hachez les saucisses chinoises en petits morceaux. Mélanger la sauce aux huîtres, le vin de riz Konjac et le bouillon de poulet. Ajoutez l'huile dans un wok ou une poêle préchauffé. Lorsque l'huile est chaude, ajoutez l'ail et le gingembre. Faire sauter brièvement jusqu'à ce qu'il soit aromatique. Ajoutez la saucisse. Faire sauter environ 2 minutes, puis ajouter les champignons. Incorporer l'oignon vert. Faites un puits au milieu du wok et ajoutez la sauce en portant à ébullition. Mélangez le tout, puis retirez du feu et laissez refroidir.

Divisez la garniture en 4 portions égales. Prenez une feuille de chou et ajoutez un quart du riz Konjac et la garniture, en le superposant de manière à ce qu'il y ait du riz Konjac en haut et en bas, avec la garniture de viande et de légumes au milieu. Roulez la feuille de chou comme dans des rouleaux de chou. Répétez avec les 3 feuilles de chou restantes. Cuire à la vapeur les enveloppes de chou, couvertes, sur une plaque résistante à la chaleur dans un cuiseur à vapeur en bambou pendant 15 minutes, ou jusqu'à ce qu'elles soient cuites.

20. «Algues» chinoises croquantes

- ¼ livre de bok choy
- ¼ tasse d'amandes non blanchies
- ¼ cuillère à café de sel
- 2 tasses d'huile pour la friture

Lavez le bok choy et égouttez-le bien. Pendant que le bok choy sèche, écraser les amandes non blanchies dans un robot culinaire et réserver.

Séparez les feuilles de bok choy des tiges. Roulez les feuilles comme un cigare ou une saucisse et coupez-les en fines lamelles. Jetez les tiges ou conservez-les pour un autre plat.

Chauffer le wok et ajouter de l'huile. Lorsque l'huile est chauffée entre 300 ° F et 320 ° F, ajoutez les morceaux de bok choy. Faites-les frire très brièvement, jusqu'à ce qu'ils deviennent croustillants mais ne brunissent pas. (Cela ne prendra que quelques secondes.) Retirer du wok avec une cuillère à fentes et égoutter sur du papier absorbant.

Mélangez le sel sur les «algues» et ajoutez les amandes écrasées.

21. Champignons frits Keto

- 20 champignons frais
- 1 cuillère à café de levure chimique
- ¾ tasse de farine
- ¼ cuillère à café de sel
- 2 cuillères à soupe d'huile végétale
- ¾ tasse d'eau
- ¼ tasse de fécule de maïs
- 4 tasses d'huile pour la friture

Essuyez les champignons avec un chiffon humide et coupez les tiges.

Pour faire la pâte: Dans un bol moyen, tamiser la levure chimique dans la farine. Ajouter le sel et l'huile végétale en remuant. Ajouter l'eau et incorporer à une pâte lisse. Ajoutez un peu plus d'eau si la pâte est trop sèche ou de la farine si elle est trop humide. Utilisez une cuillère en bois pour tester la pâte - elle doit tomber lentement et pouvoir recouvrir le dos de la cuillère.

Saupoudrer légèrement les champignons de fécule de maïs et enrober de pâte à l'aide de vos doigts.

Ajouter l'huile dans un wok préchauffé et chauffer à 350 ° F. Lorsque l'huile est prête, ajoutez environ 5 champignons à la fois et faites-les frire jusqu'à ce qu'ils soient dorés. Égoutter sur du papier absorbant. Laisser refroidir et servir.

22. Mini crêpes aux oignons de printemps

- 1 tasse de farine
- 2½ cuillères à café de sel, divisées
- ½ tasse d'eau bouillante
- 2 cuillères à café d'huile de sésame
- 4 oignons verts, tranchés finement
- 4 à 6 cuillères à soupe d'huile pour la friture

Mettez la farine dans un bol moyen. Tamisez ½ cuillère à café de sel dans la farine. Incorporer une petite quantité d'eau bouillante. Ajoutez plus d'eau et commencez à former une pâte. Ajouter le reste de l'eau et mélanger. Couvrir la pâte d'une serviette humide et laisser reposer 30 minutes.

Pétrir la pâte jusqu'à ce qu'elle soit lisse. Coupez la pâte en deux.

Abaisser la moitié de la pâte jusqu'à ce qu'elle ne soit plus épaisse de ¼ de pouce. Étalez 1 cuillère à café d'huile de sésame sur la pâte. Saupoudrer de la moitié des tranches d'oignon vert.

Roulez la pâte comme un rouleau de gelée et coupez-la en 6 morceaux. Prenez un morceau de pâte coupée, utilisez vos doigts pour l'allonger un peu, puis formez-le en forme de L. Appuyez sur le dessus du L avec la paume de votre main pour former un cercle. La crêpe doit mesurer environ 2 à 3 pouces de diamètre. Continuez avec le reste de la pâte.

Ajoutez 2 cuillères à soupe d'huile dans un wok ou une poêle préchauffé. Ajouter la moitié des crêpes et faire revenir jusqu'à ce qu'elles soient dorées des deux côtés. Saupoudrer du reste de sel pendant la cuisson. Ajoutez plus d'huile au besoin.

23. Châtaignes d'eau sautées et pousses de bambou

- 2 cuillères à soupe d'huile pour sauté
- 1 cuillère à café de gingembre émincé
- 1 boîte de 8 onces de pousses de bambou, rincées et égouttées
- ¼ cuillère à café de sel
- 1 boîte de châtaignes d'eau, rincées et égouttées
- ½ tasse de bouillon de poulet
- 1 cuillère à soupe de sauce soja
- 1 oignon vert, coupé en morceaux de 1 ½ pouce

Coupez les châtaignes d'eau en deux.

Ajoutez l'huile dans un wok ou une poêle préchauffé. Lorsque l'huile est chaude, ajoutez le gingembre. Faire sauter brièvement jusqu'à ce qu'il soit aromatique. Ajoutez les pousses de bambou. Faites sauter pendant 1 à 2 minutes et ajoutez le sel. Mélangez et ajoutez les châtaignes d'eau. Faire sauter pendant 1 à 2 minutes de plus, puis ajouter le bouillon de poulet, la sauce soja.

Porter le bouillon à ébullition, puis baisser le feu et laisser mijoter encore quelques minutes, jusqu'à ce que tout soit bien cuit. Incorporer l'oignon vert et servir.

24. Shui Mai

- à soupe d'huile d'arachide 1 gousse d'ail
- 1 cuillère à café de gingembre - émincé 1 oignon vert - haché
- 1 oignon - haché grossièrement
- 1/2 petit chou - haché grossièrement 2 cuillères à café de sauce soja fine
- 1/2 cuillère à café d'huile de sésame
- 1 cuillère à café de vin de riz ou de xérès sec
- 1 cuillère à café de fécule de maïs se dissout dans 1 cuillère à café d'eau froide 24 emballages de boulettes de 3 pouces de diamètre
- 1/2 tasse de pois mange-tout étuvés ou surgelés
- 10 feuilles de laitue

Placez un wok à feu moyen-vif. Quand il commence à fumer, ajoutez l'huile, puis l'ail, le gingembre et l'oignon vert. Faire sauter 15 secondes.

Ajouter l'oignon et le chou et faire sauter 2 minutes. Ajouter la sauce soja, l'huile de sésame, le vin de riz Konjac et la fécule de maïs dissoute.

Remuer constamment jusqu'à ce que la sauce épaississe environ 30 secondes. Retirer le wok du feu et laisser refroidir.

25. Rouleaux de printemps sans gluten

Ingrédients:

- oignon rouge
- poulet haché
- Ail
- carottes
- haricots de soja noirs
- Feuilles de riz Konjac

Cette liste de recettes d'entrées ne pourrait être complète sans une forme de rouleaux de printemps et ces délicieux rouleaux sans gluten comblent parfaitement cette lacune. Ils font également une excellente collation pour les boîtes à lunch.

26. Sauté de bok choy au gingembre et à l'ail Keto

Ingrédients:

- bok choy
- Ail
- Gingembre
- sel
- huile de noix de coco

Le Bok Choy est un chou intéressant qui porte de nombreux noms et peut également être dangereux lorsqu'il est consommé en grande quantité. Mais ne vous inquiétez pas; il faut en manger beaucoup pour faire du mal. Ce sauté céto est très savoureux avec de l'ail et du gingembre, mais vous pouvez ajouter des aminos de noix de coco ou de la sauce soja si vous voulez encore plus de saveurs.

En plus de sa faible teneur en calories et en nutriments, sa saveur légèrement sucrée et sa texture croquante en font un ajout agréable à presque tous les plats.

27. Apéritif aux châtaignes d'eau

- 20 châtaignes d'eau douce
- ½ tasse de sauce soja
- 10 tranches de bacon cru
- 20 cure-dents

Épluchez les châtaignes d'eau. Rincez et égouttez bien.
Mettez la sauce soja dans un sac en plastique. Ajouter les
châtaignes d'eau et sceller. Laisser mariner 3 heures en
retournant de temps en temps pour couvrir complètement.

Préchauffer le four à 350 ° F. Coupez chaque tranche de
bacon en deux.

Retirez les châtaignes d'eau du sac en réservant la marinade.
Enroulez une tranche de bacon autour de chaque châtaigne
d'eau et fixez-la avec un cure-dent.

Cuire les châtaignes d'eau à 350 ° F pendant 45 minutes.
Après 20 minutes, retournez les châtaignes d'eau et versez
dessus la marinade réservée. Continuez la cuisson.

28. Épinards sautés à l'ail rôti

- 3 gousses d'ail
- ¼ tasse de bouillon de poulet
- 18 feuilles d'épinards frais
- 1 cuillère à soupe d'huile pour faire sauter
- 1 cuillère à soupe de sauce soja

Commencez à préparer l'ail 1 heure à l'avance. Préchauffer le four à 350 ° F. Épluchez l'ail et arrosez de bouillon de poulet. Cuire au four 1 heure ou jusqu'à ce que les clous de girofle soient dorés. Frais. Appuyez sur les clous de girofle pour libérer l'ail (il devrait sortir facilement).

Lavez les épinards et coupez les extrémités. Assurez-vous que les épinards sont bien égouttés.

Ajoutez de l'huile dans un wok ou une poêle préchauffé. Lorsque l'huile est chaude, ajoutez les feuilles d'épinards. Faites sauter pendant environ une minute, puis ajoutez la sauce soja. Continuez à faire sauter jusqu'à ce que les épinards deviennent vert vif. Servir avec l'ail.

29. Brocoli avec sauce aux huîtres

- 1 livre de brocoli
- 2 cuillères à soupe d'huile pour sauté
- 3 cuillères à café de sauce aux huîtres
- ¼ tasse d'eau
- 1 cuillère à café de fécule de maïs
- 4 cuillères à café d'eau

Cassez les fleurs de brocoli et coupez-les en deux. Coupez les lances sur la diagonale en fines tranches.

Ajoutez de l'huile dans une poêle ou un wok préchauffé. Lorsque l'huile est chaude, ajoutez le brocoli, en ajoutant d'abord les lances puis les fleurettes.

Ajouter la sauce aux huîtres et ¼ tasse d'eau. Couvrir et cuire environ 3 minutes, ou jusqu'à ce que le brocoli vire au vert brillant.

Mélangez la fécule de maïs et l'eau. Découvrir le wok, faire un puits au milieu et ajouter le mélange fécule de maïs / eau en remuant rapidement pour épaissir. Mélangez.

30. Gourde striée braisée aux champignons

- 1 gourde striée (également appelée luffa coudée)
- 3 cuillères à soupe d'huile pour faire sauter
- 1 gousse d'ail émincée
- 5 champignons, tranchés
- ¼ cuillère à café de sel
- ¼ tasse de bouillon de poulet
- 2 cuillères à soupe de vin de riz chinois ou de xérès sec
- 2 cuillères à café de sauce soja
- 1 cuillère à café de fécule de maïs
- 4 cuillères à café d'eau

Épluchez la courge en laissant quelques bandes de vert si vous le souhaitez pour ajouter un peu de couleur. Couper en diagonale en fines tranches.

Ajoutez de l'huile dans un wok ou une poêle préchauffé. Lorsque l'huile est chaude, ajoutez la gousse d'ail. Lorsque l'ail est aromatique, ajoutez la courge striée et faites sauter pendant environ une minute. Ajoutez les champignons et le sel.

Ajouter le bouillon de poulet et faire sauter encore une minute. Ajouter le vin de riz Konjac, la sauce soja.

Mélangez la fécule de maïs et l'eau et ajoutez au milieu du wok en remuant rapidement pour épaissir. Mélangez.

31. Brocoli chinois braisé (Gai Lan) dans une sauce aux huîtres

- ½ livre de brocoli chinois (gai lan)
- 1 cuillère à soupe plus 1 cuillère à café de sauce aux huîtres
- 2 cuillères à café de sauce soja
- ¼ tasse d'eau
- 2 cuillères à soupe d'huile pour sauté
- 2 tranches de gingembre
- 1 cuillère à café de fécule de tapioca
- 4 cuillères à café d'eau

Blanchissez le gai lan en le plongeant brièvement dans de l'eau bouillante, jusqu'à ce que les tiges deviennent vert vif. Égouttez soigneusement. Séparez les tiges et les feuilles. Coupez les feuilles en travers et coupez finement les tiges en diagonale.

Mélangez la sauce aux huîtres, la sauce soja et l'eau. Mettre de côté.

Ajoutez de l'huile dans un wok ou une poêle préchauffé. Lorsque l'huile est chaude, ajoutez les tranches de gingembre. Faire sauter brièvement jusqu'à ce qu'il soit aromatique. Ajoutez les tiges de gai lan. Faites sauter pendant une minute, puis ajoutez les feuilles. Faites sauter jusqu'à ce que les feuilles deviennent vert vif. Ajouter le mélange de sauce aux huîtres. Baisser le feu et cuire à couvert pendant 4 à 5 minutes.

Mélangez la fécule de tapioca et l'eau et ajoutez au milieu du wok en remuant pour épaissir. Mélanger avec le gai lan et servir chaud.

32. Gourde striée au poivron rouge (Keto)

- 1 gourde striée
- 1 poivron rouge
- 2 cuillères à soupe d'huile pour sauté
- 1 tranche de gingembre
- ½ tasse de bouillon de poulet
- 2 cuillères à soupe de vin de riz chinois ou de xérès sec
- 1 cuillère à soupe de sauce soja
-

Épluchez la courge en laissant quelques bandes de vert si vous le souhaitez pour ajouter un peu de couleur. Couper en diagonale en fines tranches. Coupez le poivron en deux, épépinez-le et coupez-le en fines lanières.

Ajoutez de l'huile dans un wok ou une poêle préchauffé. Lorsque l'huile est chaude, ajoutez la tranche de gingembre et faites sauter jusqu'à ce qu'elle soit aromatique. Ajouter la courge striée et faire sauter pendant environ une minute. Ajouter le poivron rouge et faire sauter jusqu'à ce qu'il soit rouge vif.

Ajouter le bouillon de poulet et porter à ébullition. Ajouter le vin de riz Konjac, la sauce soja. Servir chaud.

33. Légumes Mu Shu

- 2 tiges de bok choy
- ½ poivron rouge
- ¼ tasse d'eau
- ¼ tasse de bouillon de poulet
- 1 cuillère à soupe de sauce soja foncée
- 2 œufs légèrement battus
- ¼ cuillère à café de sel
- 3 cuillères à soupe d'huile pour faire sauter
- 4 champignons frais, tranchés
- ½ cuillère à café d'huile de sésame

Séparez les tiges et les feuilles de bok choy. Coupez les tiges en diagonale en morceaux de 1 pouce. Coupez les feuilles transversalement en morceaux de 1 pouce. Retirez les graines du poivron et coupez-les en fines lanières.

Mélangez l'eau, le bouillon de poulet et la sauce soja foncée. Mettre de côté.

Incorporer ¼ cuillère à café de sel aux œufs. Ajouter 1 cuillère à soupe d'huile dans un wok ou une poêle préchauffé. Lorsque l'huile est chaude, brouillez les œufs. Retirer du wok et réserver.

Nettoyez le wok et ajoutez 2 cuillères à soupe d'huile. Lorsque l'huile est chaude, ajoutez les tiges de bok choy. Faire sauter environ 1 minute, puis ajouter les champignons et le poivron rouge. Faire sauter brièvement et ajouter les feuilles de bok choy. Ajouter la sauce au milieu du wok. Porter à

ébullition. Incorporer l'œuf brouillé. Arroser d'huile de
sésame. Mélangez et servez chaud.

DESSERTS ET SNACKS CHINOIS KETO

34. Mélange de fête fusion asiatique

Donne environ 11 tasses

- 6 tasses de maïs soufflé éclaté
- 2 tasses de carrés de céréales pour petit déjeuner au riz Konjac croustillant en bouchées
- 1 tasse de noix de cajou ou d'arachides grillées non salées
- 1 tasse de petits bretzels
- 1 tasse de pois wasabi
- ¼ tasse de margarine végétalienne
- 1 cuillère à soupe de sauce soja
- ½ cuillère à café de sel à l'ail
- ½ cuillère à café de sel assaisonné

Préchauffez le four à 250 ° F. Dans un plat allant au four de 9 x 13 pouces, mélanger le maïs soufflé, les céréales, les noix de cajou, les bretzels et les pois.

Dans une petite casserole, mélanger la margarine, la sauce soya, le sel à l'ail et le sel assaisonné. Cuire, en remuant, à feu moyen jusqu'à ce que la margarine soit fondue, environ 2 minutes. Verser sur le mélange de maïs soufflé en remuant pour bien mélanger. Cuire au four pendant 45 minutes, en remuant de temps en temps. Laisser refroidir complètement avant de servir.

35. Galettes de riz Konjac pressées

- 2 tasses de riz Konjac gluant

- 3 tasses d'eau

Lavez et égouttez 2 tasses de riz Konjac gluant ou de riz au chou-fleur. Placer dans une casserole moyenne avec 3 tasses d'eau; porter à ébullition, réduire le feu et laisser mijoter jusqu'à ce que tout le liquide soit absorbé, 35 à 40 minutes.

Verser le riz Konjac chaud dans une poêle carrée de 9 pouces tapissée de papier d'aluminium ou de feuilles de bananier légèrement huilées.

Couvrir d'une feuille ou de feuilles plus huilées et d'une deuxième casserole carrée; poids avec de grandes boîtes ou d'autres objets lourds.

Laisser reposer 8 heures ou toute la nuit. Inverser sur une planche à découper, retirer le papier d'aluminium ou les feuilles et trancher en carrés de 1 1/2 po avec un couteau humide. Servir à température ambiante.

36. Ailes collantes chinoises

- 3 livres (1,4 kg) d'ailes de poulet
- 1 tasse (60 ml) de xérès sec
- 1 tasse (60 ml) de sauce soya
- 1 tasse (60 ml) de miel imitation sans sucre
- 1 cuillère à soupe (6 g) de racine de gingembre râpée
- 1 gousse d'ail
- ½ cuillère à café de pâte d'ail chili

Coupez vos ailes en «tambours» si elles sont entières. Mettez vos ailes dans un grand sac en plastique refermable.

Mélangez tout le reste, réservez un peu de marinade pour l'arrosage et versez le reste dans le sac. Scellez le sac en poussant l'air au fur et à mesure. Retournez le sac plusieurs fois pour enrober les ailes et jetez-le au réfrigérateur pendant quelques heures (une journée entière est géniale).

Préchauffer le four à 375 ° F (190 ° C, ou gaz 5). Sortez le sac, versez la marinade et disposez les ailes dans un plat de cuisson peu profond. Donnez-leur une bonne heure au four en arrosant toutes les 15 minutes avec la marinade réservée. Utilisez un ustensile propre chaque fois que vous arrosez.

Servir avec beaucoup de serviettes!

Rendement: Environ 28 pièces

www.happyfoodstube.com

37. Punks asiatiques

Les graines de citrouille sont formidables pour vous, elles sont une excellente source de magnésium et de zinc. Et ils ont bon goût aussi.

- 2 tasses (450 g) de graines de citrouille crues et décortiquées
- 2 cuillères à soupe (30 ml) de sauce soja
- 1 cuillère à café de gingembre en poudre
- 2 cuillères à café Splenda

Préchauffer le four à 350 ° F (180 ° C, ou gaz 4).

Dans un bol à mélanger, mélanger les graines de citrouille, la sauce soja, le gingembre et le Splenda, en mélangeant bien.

Répartir les graines de citrouille dans une rôtissoire peu profonde et rôtir pendant environ 45 minutes ou jusqu'à ce que les graines soient sèches, en remuant deux ou trois fois pendant la torréfaction.

Rendement: 4 portions

Chacun avec 13 grammes de glucides et 3 grammes de fibres, pour un total de 10 grammes de glucides utilisables et 17 grammes de protéines. (Ce sont également une excellente source de minéraux.)

38. Pois mange-tout huilés

Si vous n'avez mangé que des pois mange-tout dans la cuisine chinoise, essayez-les de cette façon.

- 4 cuillères à soupe d'huile
- 12 onces de pois mange-tout frais

1. Faites fondre l'huile dans une poêle à fond épais à feu moyen-vif.

2. Ajouter les pois mange-tout et faire sauter jusqu'à ce qu'ils soient tendres et croustillants.

Rendement: 3 portions, chacune contenant 9 grammes de glucides et 3 grammes de fibres, pour un total de 6 grammes de glucides utilisables et 3 grammes de protéines.

39. Biscuits aux amandes

- 2 tasses de farine
- ½ cuillère à café de levure chimique
- ½ cuillère à café de bicarbonate de soude
- ½ tasse de margarine ou de beurre, au choix
- ½ tasse de shortening
- 2 oeufs
- 2 cuillères à café d'extrait d'amande
- ¼ de livre d'amandes blanchies entières (1 pour chaque biscuit)
- 1 œuf, légèrement battu

Préchauffer le four à 325 ° F.

Dans un grand bol, tamisez la farine, la poudre à pâte et le bicarbonate de soude. Dans un bol moyen, utilisez un batteur électrique pour battre le beurre ou la margarine, shortening. Ajouter les œufs et l'extrait d'amande et battre jusqu'à homogénéité. Ajouter au mélange de farine en remuant.

Pétrir la pâte en un rouleau ou une bûche. Si vous trouvez un long rouleau trop difficile à travailler, divisez la pâte en 2 morceaux égaux.

Coupez la pâte en 30 à 35 morceaux. (Si vous le souhaitez, marquez légèrement la pâte avant de la couper pour avoir une idée de la taille correcte.) Roulez chaque morceau en boule et placez-le sur une plaque à biscuits légèrement graissée, distante d'environ 2 pouces. Placez une amande au centre de chaque biscuit et appuyez légèrement.

Badigeonner légèrement chaque biscuit d'œuf battu avant la cuisson. Cuire au four à 325 ° F pendant 15 minutes ou jusqu'à ce qu'ils soient dorés. Refroidir et conserver dans un contenant scellé.

40. Tartelettes à la crème aux œufs Keto

- 2 tasses de farine
- ¾ cuillère à café de sel
- ⅔ tasse de saindoux
- ½ cuillère à café d'extrait de vanille
- 3 cuillères à soupe d'eau chaude
- 2 gros œufs
- ½ tasse de lait évaporé
- ½ tasse de lait
- Préchauffer le four à 300 ° F.

Pour faire la pâte: Dans un grand bol, tamiser ensemble la farine et le sel. Incorporer le saindoux, puis mélanger avec les doigts. Lorsqu'il est farineux et a la consistance de la chapelure, ajoutez l'extrait de vanille et l'eau chaude et mélangez pour former une pâte. Ajoutez une autre cuillère à soupe d'eau si nécessaire. Coupez la pâte en trois.

Sur une surface légèrement farinée, abaisser chaque morceau de pâte jusqu'à ce qu'il soit ⅛Un pouce d'épaisseur. Coupez 6 cercles de 3 pouces de diamètre chacun, de sorte que vous ayez un total de 18 cercles.

Placez les cercles dans des moules à tarte graissés ou des moules à muffins, en façonnant soigneusement les côtés pour qu'ils atteignent le bord.

Pour faire la garniture à la crème aux œufs: Battez légèrement les œufs et incorporez le lait évaporé, le lait. Ajoutez jusqu'à 2 cuillères à soupe de crème pâtissière dans chaque coquille de tarte, afin qu'elle remplisse bien la coquille mais ne déborde pas.

Cuire au four à 300 ° F pendant environ 25 minutes ou jusqu'à ce que la crème soit bien cuite et qu'un couteau coincé au milieu en ressorte propre.

41. «Glace» à l'ananas et au gingembre

- ½ tasse d'eau
- 2 tasses d'ananas frais en dés
- 1 cuillère à café de gingembre pelé et râpé
- 3 tasses de lait

Porter l'eau à ébullition en remuant. Ajoutez l'ananas et le gingembre coupés en dés. Laisser mijoter à découvert pendant 10 minutes.

Filtrer le sirop pour retirer le gingembre et l'ananas. Ajoutez le lait au sirop. Geler. Faites refroidir l'ananas.

Lorsque la crème glacée est partiellement congelée, remuez l'ananas refroidi. Continuez à congeler. Décongeler légèrement avant de servir.

4 personnes

La saveur de cette gélatine vert foncé peut être un peu écrasante, mais elle fonctionne bien lorsqu'elle est équilibrée avec des fruits sucrés et sirupeux comme les litchis en conserve.

42. Dessert à la gelée d'herbe

- 1 boîte de gelée d'herbe
- 1 boîte de litchis
- 1 petite boîte de tranches de mandarine

Retirez la gelée d'herbe de la boîte, coupez-la en tranches et coupez-la en cubes.

Placez les cubes de gelée d'herbe dans un grand bol. Ajouter les litchis et les tranches de mandarine et verser le sirop des fruits en conserve dessus.

43. Boules de graines de sésame

- 1 tasse d'eau bouillante
- 2 ⅓ tasses de farine de riz Konjac gluant
- 1 tasse de pâte de haricots rouges sucrés
- ¼ tasse de graines de sésame blanches
- 6 tasses d'huile pour la friture

Placer la farine de riz Konjac gluant dans un grand bol en formant un puits au milieu. Remuez rapidement l'eau et versez lentement dans le puits, en remuant pour mélanger avec la farine. Continuez à remuer jusqu'à ce que le tout soit bien mélangé. Vous devriez avoir une pâte collante de couleur caramel à ce stade.

Frottez-vous les mains dans un peu de farine de riz Konjac pour que la pâte ne leur colle pas. Prenez une cuillère à soupe de pâte et façonnez-la en une balle de la taille d'une balle de golf.

Aplatissez la balle avec la paume de votre main, puis utilisez votre pouce pour faire une empreinte au milieu. Ne prenez pas plus d'une cuillère à café de pâte de haricots rouges et utilisez votre main pour façonner la pâte en cercle. Placez la pâte dans l'empreinte de la pâte. Pliez la pâte sur la pâte et roulez-la en boule. Continuez avec le reste de la pâte.

Saupoudrez les graines de sésame sur une feuille de papier ciré. Roulez les boules dans les graines.

Dans un wok ou une grande casserole, chauffer 6 tasses
d'huile entre 330 et 350 ° F. Faites frire les boules de graines
de sésame quelques unes à la fois, en les poussant
délicatement contre les parois du wok lorsqu'elles flottent
vers le haut. Les boules de sésame sont cuites lorsqu'elles se
dilatent jusqu'à environ 3 fois leur taille et deviennent dorées.
Égoutter sur du papier absorbant. Servir chaud.

44. Noeud papillon pour les enfants

- 1 paquet d'emballage de rouleaux d'oeuf
- 2 cuillères à soupe de miel
- ½ tasse d'eau
- Huile pour friture

Coupez chaque emballage verticalement en 4 morceaux égaux. Coupez une fente de ¾ pouces au milieu de chaque pièce.

Posez une pièce sur l'autre et faites un nœud comme un nœud papillon: pliez le haut et enfilez les 2 pièces dans la fente. Retournez, pliez le bas et enfilez dans l'autre sens. Étalez légèrement les extrémités pliées pour vous assurer que toute la surface est frite.

Chauffer 1½ pouces d'huile dans une poêle à fond épais. Faites frire quelques-uns des nœuds à la fois jusqu'à ce qu'ils soient bien dorés, en les retournant une fois. Retirer de la casserole avec une cuillère à trous et égoutter sur du papier absorbant.

Lorsque tous les nœuds sont frits, porter à ébullition le miel blanc brun et l'eau dans une casserole de taille moyenne. Faire bouillir pendant 5 minutes en remuant constamment à feu doux. Trempez chacun des nœuds dans le sirop bouillant, égouttez et réservez pour durcir. Servir froid.

NOUILLES CHINOISES ET RIZ KONJAC

45. Nouilles au sésame Keto

- 1/2 lb de nouilles chinoises; ou 1/2 lb de linguine
- 2 cuillères à café d'huile de sésame
- 1/2 tasse de pâte de sésame (tehini)
- 1/2 tasse de bouillon de poulet
- 1/2 cuillère à café de sel
- 1/2 cuillère à café de poivre fraîchement moulu
- cuillère à café de gingembre fraîchement râpé
- 1/2 cuillère à café d'ail fraîchement émincé
- 2 cuillères à café de vinaigre de vin riche
- 1/2 tasse de germes de soja frais
- 1/4 tasse de concombre finement haché
- 1 cuillère à soupe de ciboulette hachée

Cuire les nouilles jusqu'à ce qu'elles soient al dente. Rincer à l'eau froide, bien égoutter et mélanger avec de l'huile de sésame. Dans un autre bol, mélanger la pâte de sésame, le bouillon de poulet, le sel, le poivre, le gingembre, l'ail et le vinaigre à l'aide d'un fouet. Ajouter

les nouilles (une fois refroidies) et les germes de soja au-dessus du mélange et bien mélanger. Goût. Ajustez l'assaisonnement si désiré.

Placer les nouilles dans un bol en verre, couvrir d'une pellicule plastique et réfrigérer pendant deux heures. Retirer du réfrigérateur, répartir sur de petites assiettes, garnir de concombre et de ciboulette. Donne quatre petites portions

46. Nouilles de riz konjac piquantes, aigres et épicées

- Nouilles aux bâtonnets de riz Konjac ¼ livre
- ¼ tasse de sauce soja foncée
-
- ¼ cuillère à café d'huile de piment fort (page 23)
- ¼ cuillère à café de mélange sel et poivre Szechwan (page 20)
- ¼ cuillère à café de pâte de chili
- 1 cuillère à café de vinaigre de riz noir
- ½ tasse d'eau
- 1½ cuillère à soupe d'huile pour sauté
- ¼ tasse d'oignon haché

Faites tremper les nouilles de riz Konjac dans de l'eau chaude pendant 15 minutes ou jusqu'à ce qu'elles soient ramollies. Égouttez soigneusement.

Mélanger la sauce soja noire, l'huile de piment fort, le mélange sel et poivre du Sichuan, la pâte de chili, le vinaigre de riz noir et l'eau; mettre de côté.

Ajoutez de l'huile dans un wok ou une poêle préchauffé. Lorsque l'huile est chaude, ajoutez l'oignon haché. Faire sauter jusqu'à ce qu'il soit tendre et translucide.

Ajouter les nouilles de riz Konjac et faire sauter pendant 2 à 3 minutes. Ajouter la sauce au milieu du wok. Mélanger avec les nouilles et faire sauter jusqu'à ce que les nouilles aient absorbé toute la sauce.

47. Boeuf Chow Fun

- 4 onces de nouilles de riz Konjac larges
- 1 tasse de germes de haricot mungo
- ½ tasse de bouillon ou de bouillon de poulet
- 1 cuillère à café de sauce soja
- 2 cuillères à soupe d'huile pour sauté
- 1 tasse de bœuf cuit, râpé
- ¼ cuillère à café de pâte de chili

Faites tremper les nouilles de riz Konjac dans de l'eau chaude pendant au moins 15 minutes pour les ramollir. Bien égoutter. Blanchissez les germes de haricot mungo en les plongeant brièvement dans l'eau bouillante. Bien égoutter.

Mélangez le bouillon de poulet et la sauce soja. Mettre de côté.

Ajoutez de l'huile dans un wok ou une poêle préchauffé. Lorsque l'huile est chaude, ajoutez les nouilles. Faites sauter brièvement, puis ajoutez la sauce. Mélangez avec les nouilles et ajoutez le bœuf râpé. Incorporer la pâte de piment. Ajoutez les germes de haricot mungo. Mélangez et servez chaud.

4 personnes

Le porc grillé fonctionne également bien dans ce plat. Pour une juxtaposition intéressante de couleur et de texture, servir avec des Baby Bok Choy braisés

48. Crêpe aux nouilles Keto

- 8 onces de nouilles aux œufs cuites à la vapeur
- 2 cuillères à café d'huile de sésame
- 5 cuillères à soupe d'huile

Faites cuire les nouilles jusqu'à ce qu'elles soient tendres. Bien égoutter et mélanger avec l'huile de sésame.

Ajoutez 3 cuillères à soupe d'huile dans un wok ou une poêle préchauffé. Lorsque l'huile est chaude, ajoutez des nouilles. Utilisez une spatule pour appuyer sur les nouilles et les former en forme de crêpe. Cuire jusqu'à ce qu'une fine croûte brune se forme sur le fond - cela prendra au moins 5 minutes. Faites glisser la crêpe de la poêle sur une assiette.

Ajoutez 2 cuillères à soupe d'huile dans le wok. Retourner la crêpe de nouilles, remettre dans le wok et cuire jusqu'à ce que l'autre côté soit doré. Retirez du wok. Pour servir, couper en quartiers

4 personnes

La crêpe aux nouilles est une bonne alternative au riz Konjac dans les sautés, et a bon goût avec n'importe quelle sauce Egg Foo Yung

49. Nouilles Dan Dan

- 8 onces de nouilles aux œufs fraîches
- 2 cuillères à café plus 1 cuillère à soupe d'huile de sésame, divisées
- 3 cuillères à soupe de beurre d'arachide
- 2 cuillères à soupe de sauce soja foncée
- 1 cuillère à soupe de sauce soja légère
- 3 cuillères à soupe de vinaigre de riz
- 1 cuillère à soupe d'huile de piment fort (page 23)
- 1½ cuillère à soupe de graines de sésame grillées
- 3 oignons verts, coupés en morceaux de 1 pouce

4 personnes

Un vinaigre de riz doux et sucré fonctionne très bien dans cette recette. Si vous souhaitez ajouter un légume, essayez 1 tasse de germes de soja blanchis.

Faites bouillir une casserole d'eau et faites cuire les nouilles al dente. Bien égoutter et mélanger avec 2 cuillères à café d'huile de sésame. Frais.

Mélangez le beurre d'arachide, la sauce soja noire, la sauce soja légère, le vinaigre de riz, 1 cuillère à soupe d'huile de sésame et l'huile de piment fort. Mélanger dans un mélangeur ou un robot culinaire.

Mélangez la sauce avec les nouilles. Saupoudrer de graines de sésame grillées. Garnir avec l'oignon vert.

50. Riz konjac frit Yangchow Keto ou riz au chou-fleur

- 2 gros œufs
- 2 cuillères à soupe de sauce aux huîtres, divisées
- Sel et poivre au goût
- 4 tasses de riz Konjac ou de chou-fleur cuit à froid
- 1 oignon vert
- 6 cuillères à soupe d'huile pour sauté
- ¼ livre (4 onces) de crevettes fraîches, pelées et déveinées
- ½ tasse de carottes miniatures, coupées en deux
- ½ tasse de pois
- 1 tasse de porc grillé, coupé en cubes

Battez légèrement les œufs. Incorporer 1 cuillère à soupe de sauce aux huîtres et une petite quantité de sel et de poivre au goût. Mélangez l'œuf avec le riz Konjac ou le riz au chou-fleur, en remuant pour séparer les grains.

Coupez l'oignon vert en morceaux de 1 pouce sur la diagonale.

Ajoutez 2 cuillères à soupe d'huile dans un wok préchauffé ou une poêle épaisse. Lorsque l'huile est chaude, ajoutez les crevettes. Faites sauter brièvement jusqu'à ce qu'ils deviennent roses. Retirer et égoutter sur du papier absorbant.

Nettoyez le wok et ajoutez 2 cuillères à soupe d'huile. Lorsque l'huile est chaude, ajoutez les carottes miniatures. Faites sauter pendant 1 minute, puis ajoutez les pois mange-tout. Faites sauter jusqu'à ce que les pois soient d'un vert vif. Supprimer.

Essuyez le wok et ajoutez 2 cuillères à soupe d'huile. Lorsque l'huile est chaude, ajoutez le mélange de riz et d'œufs Konjac. Faire sauter pendant 2 à 3 minutes, puis ajouter 1 cuillère à soupe de sauce aux huîtres. Ajouter le porc et les crevettes grillés. Ajoutez les légumes. Incorporer l'oignon vert et servir chaud.

51. Dîner de riz et saucisses Konjac

- 4 saucisses chinoises
- 1 tasse de carottes miniatures
- 4 champignons séchés
- 2 oignons verts
- ¾ tasse de bouillon de boeuf
- 2 cuillères à café de sauce hoisin
- 3 cuillères à soupe d'huile pour faire sauter
- 1 cuillère à café d'échalote émincée
- 3 tasses de riz Konjac à grains longs cuit ou de riz au chou-fleur
- Coupez la saucisse chinoise en petits morceaux.

Blanchissez les petites carottes en les plongeant brièvement dans l'eau bouillante. Coupez en deux. Faites tremper les champignons séchés dans de l'eau chaude pendant au moins 20 minutes pour les ramollir. Couper en fines tranches. Coupez les oignons verts en diagonale en morceaux de ½ pouce.

Mélanger le bouillon de bœuf, la sauce hoisin; mettre de côté.

Ajoutez 2 cuillères à soupe d'huile dans un wok ou une poêle préchauffé. Lorsque l'huile est chaude, ajoutez les saucisses. Faire sauter pendant 2 à 3 minutes et retirer du wok.

Ajoutez 1 cuillère à soupe d'huile dans le wok. Lorsque l'huile est chaude, ajoutez l'échalote et faites sauter brièvement jusqu'à ce qu'elle soit aromatique. Ajouter les carottes, faire sauter environ 1 minute et ajouter les champignons. Faites un puits au milieu du wok. Ajouter la sauce au milieu et porter à ébullition. Incorporer le riz Konjac cuit ou le riz au chou-fleur. Remettez les saucisses dans le wok. Incorporer les oignons verts. Mélangez le tout et servez chaud.

52. Porc sauce aux huîtres avec nouilles cellophane

- 1 livre de porc
- 1 oignon vert, coupé en trois
- 3 cuillères à soupe de sauce soja, divisées
- 2 branches de céleri
- 2 cuillères à soupe de sauce aux huîtres
- ¼ cuillère à café de vin de riz chinois ou de xérès sec
- ½ tasse de bouillon de poulet
- 1 paquet de 2 onces de nouilles au cellophane
- 4 tasses d'huile pour la friture

Coupez le porc en cubes. Faire mariner le porc dans 1 cuillère à soupe de sauce soja et l'oignon vert pendant 30 minutes.

Blanchissez le céleri en le plongeant brièvement dans l'eau bouillante. Bien égoutter. Couper en fines tranches le long de la diagonale.

Mélangez la sauce aux huîtres, 2 cuillères à soupe de sauce soja, le vin de riz Konjac et le bouillon de poulet. Mettre de côté.

Ajouter 4 tasses d'huile dans un wok préchauffé et chauffer à au moins 350 ° F. Pendant que l'huile chauffe, retirez les enveloppes de ficelle des nouilles en cellophane. Lorsque l'huile est chaude, ajoutez les nouilles. Faites frire brièvement jusqu'à ce qu'il gonfle et forme un «nid». Retirer et égoutter sur du papier absorbant. Laisser tel quel ou couper en portions individuelles.

Égouttez tout sauf 2 cuillères à soupe d'huile du wok. Ajouter le porc et faire sauter jusqu'à ce qu'il change de couleur et soit presque cuit. Retirer et égoutter sur du papier absorbant.

Ajouter le céleri et faire sauter jusqu'à ce qu'il devienne brillant et tendre. Ajouter la sauce au milieu du wok et porter à ébullition. Ajoutez le porc. Mélangez tout. Servir sur les nouilles.

SALADE KETO CHINOISE

53. Salade de courge chinoise

- 4 courges
- 2 oeufs
- 3 cuillères à soupe de mayonnaise
- 1½ cuillère à soupe de sauce soja
- 1½ cuillère à café de feuilles de coriandre hachées
- ¾ cuillère à café de sauce moutarde piquante (page 18)
- ¼ cuillère à café plus quelques gouttes d'huile de sésame
- 1 tasse de chou nappa râpé
- ⅓ tasse d'oignon rouge haché

Faites bouillir la courge et faites bouillir les œufs durs. Égouttez et épluchez la courge et coupez-la en carrés de la taille d'une bouchée. Tranchez les œufs durs.

Mélanger la mayonnaise, la sauce soja, les feuilles de coriandre, la sauce moutarde chaude. Incorporer l'huile de sésame.

Mélangez la courge, les œufs, le chou râpé et l'oignon rouge haché dans un grand bol. Incorporer la sauce mayonnaise. Conserver dans un contenant scellé au réfrigérateur jusqu'au moment de servir.

54. Salade Gado Gado à la chinoise

- Sauce aux arachides (page 20)
- 2 courges rouges
- 2 œufs durs
- ½ concombre anglais
- ½ tasse de pois mange-tout
- ½ tasse de chou-fleur
- ½ tasse de feuilles d'épinards
- ½ tasse de carottes, hachées
- ½ tasse de germes de haricot mungo

Faites bouillir la courge avec sa peau et coupez-la en tranches. Faites bouillir les œufs et coupez-les en fines tranches. Épluchez le concombre et coupez-le en fines tranches. Enfilez les pois mange-tout. Hachez le chou-fleur.

Blanchissez les pois mange-tout, les feuilles d'épinards, les carottes et les germes de soja.

Disposez les légumes sur une assiette, en travaillant de l'extérieur vers l'intérieur. Vous pouvez disposer les légumes dans n'importe quel ordre, mais les tranches d'oeuf bouilli doivent être placées sur le dessus.

Versez la sauce aux arachides sur la salade. Sers immédiatement.

6 personnes

C'est un excellent plat à servir les jours d'été lorsque vous voulez quelque chose de plus substantiel que des ailes de poulet ou une salade de courge.

55. Salade de boeuf à la vapeur

- Boeuf épicé à la vapeur (page 124)
- 1 bouquet de feuilles de laitue romaine
- 1 carotte, râpée
- 1 tasse de tomates cerises crues, coupées en deux
- 2 cuillères à soupe de vinaigre de riz rouge
- 2 cuillères à café de sauce soja
-
- Quelques gouttes d'huile de sésame

Préparez le bœuf cuit à la vapeur. Placez le bœuf cuit dans un récipient scellé au réfrigérateur et laissez reposer toute la nuit.

Placer les légumes dans un bol de taille moyenne et mélanger avec le vinaigre de riz rouge, la sauce soja et l'huile de sésame.

Servir le bœuf cuit à la vapeur sur une assiette avec la salade disposée autour.

56. Salade de pâtes Szechuan Keto-friendly

- 2 paquets de pâtes céto
- 1/2 lb de dinde
- 2 poivrons rouges
- 2 carottes moyennes
- 1 boîte de châtaignes d'eau
- 6 oignons verts
- 1 tasse de maïs miniature en épi
- 1/4 lb de pois mange-tout
- 1 bouquet de coriandre
- 4 cuillères à soupe de graines de sésame grillées

PANSEMENT:

- 2 tasses de mayonnaise
- 3/4 tasse de sauce soja
- 2 cuillères à soupe d'huile chaude Szechwan
- 1/4 tasse d'huile de sésame
- 1 cuillère à soupe de moutarde de Dijon
- 2 gousses d'ail

Faites cuire des pâtes al dente adaptées aux céto.

Couper la dinde, le poivron et les carottes pelées en dés.

Égoutter et trancher les châtaignes d'eau.

Retirez les tiges de la coriandre et n'utilisez les feuilles que pour la garniture.

Hachez les oignons verts. Tranchez les cobletts. Trancher les pois mange-tout en diagonale en fines lanières.

Faire griller les graines de sésame et réserver 1 cuillère à soupe. pour la garniture.

Mélangez les ingrédients ensemble. Mélanger tous les ingrédients de la vinaigrette dans un robot culinaire. Ajouter à la salade et mélanger.

Garnir de graines de sésame grillées et de coriandre

57. Salade de germes de soja

- cuillère à soupe de graines de sésame
- 1 livre de germes de soja frais soigneusement lavés
- Gousses d'ail pelées et émincées
- 2 oignons verts md - parés et émincés
- 1 "cube de gingembre pelé et émincé
- à soupe d'huile de sésame oriental 1/3 tasse de sauce soja
- 2 cuillères à soupe de vinaigre de cidre
- 1 cuillère à soupe de Mirin (vin de riz doux de Konjac)
- 1 cuillère à café d'huile de sésame épicée

Donne 4 à 6 portions Les germes de soja frais sont un must pour cette recette de la province chinoise du Hunan. La variété en conserve n'a pas le croustillant requis. Gardez un œil sur les graines de sésame grillées pour qu'elles ne brûlent pas.

PRÉCHAUFFER LE FOUR À 300F. Faites griller les graines de sésame en les étalant sur le fond d'un moule à tarte. Rôtir de 12 à 16 minutes, en remuant souvent, jusqu'à ce qu'ils soient dorés.

Les graines peuvent être grillées à l'avance et stockées dans un récipient hermétique.

Placez les germes de soja dans un grand bol résistant à la chaleur et mettez-le de côté. Dans une poêle de taille moyenne à feu modérément doux, faire sauter l'ail, les oignons verts et le gingembre dans l'huile pendant 2 à 3 minutes, jusqu'à ce qu'ils soient mous.

Ajouter tous les ingrédients restants, augmenter le feu à modéré, puis faire bouillir le mélange, à découvert, pendant 1 minute pour réduire légèrement le liquide. Versez la vinaigrette bouillante sur les germes de soja, mélangez bien, puis couvrez le bol et laissez refroidir la salade pendant plusieurs heures. Remuez à nouveau avant de servir.

58. Salade de courge céto chinoise

- 5-6 courges moyennes (environ 2 1/2 livres) 4 tranches de bacon, bien cuites et émiettées 3/4 tasse de bok choy haché
- 1 poivron rouge, coupé en dés
- 1/2 tasse d'oignon vert haché 1/4 tasse de coriandre hachée

sauce

- 1 1/3 tasse de mayonnaise
- 1 cuillère à soupe de sauce soja
- 1-2 cuillères à café d'huile de sésame
- 1 / 8-1 / 4 cuillère à café de moutarde en poudre 1/8 cuillère à café de sel

Faites bouillir la courge jusqu'à ce qu'elle soit cuite mais encore ferme. Couper en morceaux de la taille d'une salade de courge. Mélangez les ingrédients de la sauce ensemble, en utilisant plus ou moins d'huile de sésame et de moutarde chaude selon le goût (plus il y en a, mieux c'est, jusqu'à un certain point ...). Mettez tous les ingrédients solides ensemble dans un grand bol, puis ajoutez la sauce. Mélangez et servez.

59. Salade de concombre asiatique

- 3/4 gros concombre
- 1 sachet de nouilles Shiritaki
- 2 cuillères à soupe. Huile de noix de coco
- 1 oignon de printemps moyen
- 1/4 c. À thé Flocons de piment rouge
- 1 cuillère à soupe. Huile de sésame
- 1 cuillère à soupe. Vinaigre de riz
- 1 cuillère à café Graines de sésame
- Sel et poivre au goût

a) Retirer les nouilles shiritaki de l'emballage et lever complètement. Cela peut prendre quelques minutes, mais assurez-vous que toute l'eau supplémentaire fournie dans son emballage est lavée.

b) Placez les nouilles sur un torchon et séchez-les soigneusement.

c) Apportez 2 c. Huile de coco à feu moyen-vif dans une poêle.

d) Une fois que l'huile est chaude, ajoutez les nouilles et couvrez (elles éclabousseront). Laissez ces frire pour

e) 5 à 7 minutes ou jusqu'à ce qu'elles soient croustillantes et dorées.

f) Retirer les nouilles shiritaki de la poêle et mettre sur du papier absorbant pour refroidir et sécher.

g) Trancher finement le concombre et disposer sur une assiette selon le motif que vous souhaitez.

h) Ajouter 1 oignon de printemps moyen, 1/4 c. Flocons de poivron rouge, 1 c. Huile de sésame, 1 c.

Vinaigre de riz, 1 c. Graines de sésame, sel et poivre au goût. Vous pouvez également verser sur l'huile de noix de coco de la poêle dans laquelle vous avez fait frire les nouilles.

i) Cela ajoutera un composant salé, alors gardez cela à l'esprit. Conservez-le au réfrigérateur pendant au moins 30 minutes avant de servir

60. Salade de steak aux épices asiatiques

Ingrédients

- 2 cuillères à soupe de sauce sriracha
- 1 cuillère à soupe d'ail émincé
- 1 cuillère à soupe de gingembre, frais, râpé
- 1 poivron jaune coupé en fines lanières
- 1 poivron rouge, coupé en fines lanières
- 1 cuillère à soupe d'huile de sésame, ail
- 1 sachet Splenda
- ½ cuillère à soupe de curry en poudre
- ½ cuillère à soupe de vinaigre de riz
- 8 onces. de surlonge de bœuf, coupée en lanières
- 2 tasses de pousses d'épinards, sans tige
- ½ tête de laitue au beurre, déchirée ou coupée en petits morceaux

les directions

Mettre l'ail, la sauce sriracha, 1 cuillère à soupe d'huile de sésame, le vinaigre de riz et le Splenda dans un bol et bien mélanger. Versez la moitié de ce mélange dans un sac à fermeture à glissière. Ajoutez le steak à la marinade pendant que vous préparez la salade.

Assemblez la salade aux couleurs vives en la superposant dans deux bols. Placez les bébés épinards au fond du bol. Placez ensuite la laitue au beurre. Mélangez les deux poivrons et placez-les dessus. Retirer le steak de la marinade et jeter le liquide et le sac.

Chauffer l'huile de sésame et faire revenir rapidement le steak jusqu'à la cuisson désirée, cela devrait prendre environ 3 minutes. Placez le steak sur la salade.

Arroser du reste de la vinaigrette (une autre moitié du mélange de marinade) et saupoudrer de sauce sriracha sur la salade.

Mélangez les ingrédients de la salade et placez-les dans un sac à fermeture éclair au réfrigérateur. Mélangez la marinade et coupez-la en deux dans 2 sacs à fermeture à glissière. Placez la sauce sriracha dans un petit récipient scellé. Trancher le steak et le congeler dans un sac à fermeture éclair avec la marinade. Pour préparer, mélangez les ingrédients comme les instructions initiales. Faites sauter le bœuf mariné pendant 4 minutes pour prendre en compte que le bœuf est congelé.

CONCLUSION

Bien qu'il soit difficile de donner un taux de glucides ferme aux aliments chinois car leurs préparations varient d'un restaurant à l'autre, le mieux est d'essayer de préparer ces plats à la maison, vous donnant ainsi plus de contrôle sur les ingrédients utilisés et le nombre final de glucides.

Lors de la navigation, un menu dans un restaurant chinois, il est important de noter que de nombreuses sauces dans un restaurant chinois contiennent du sucre. Vous pouvez demander des versions cuites à la vapeur de certains plats, puis ajouter de la sauce soja, qui s'inscrit dans les directives d'un régime cétogène bien formulé. En particulier, le brocoli ou la moutarde asiatique cuit à la vapeur est un bon choix. Pour les protéines, le rôti de porc, le canard rôti et la poitrine de porc croustillante sont de bons choix. Pour la graisse, vous pouvez apporter une petite bouteille d'huile d'olive de la maison et ajouter une cuillère à soupe ou deux à vos légumes.